A CLYDESIDE LAD

BILL SUTHERLAND

A SHIPYARD WORKER'S VIEW IN VERSE

TO
MY MOTHER,
THE LATE FRANCES SUTHERLAND

Acknowledgements

I WOULD LIKE to acknowledge the help and encouragement given me with the manuscript for this book by the following people, and for their kindly — and long-suffering! — support of my writing generally:
Mr. Chris Small;
Dumbarton Writers' Group;
Mr. Jim Clark and pupils and staff of Mount Blow School, Dalmuir;
Mr. John O'Donnell and Mr. Davie Dunlop and staff of the Denny Experiment Tank, Dumbarton;
Mr. Campbell McMurray and the Scottish Maritime Museum;
and, of course, Cath, Marianne, Kathleen and Bernard.

Bill Sutherland

Introduction

A NEW BOOK of poems is the promise of a new world. But if that's what we want and hope for — a new sight of things, a new voice speaking of them — it's not just novelty and new fangledom. Mere fashion, we're inclined to say, is fit only for fashion magazines. We want poetry to belong somewhere real.

Bill Sutherland's first collection of poems belongs firmly to a place, a speech, a community and a way of thinking and living summed up in the word Clydeside. It is even more particular: these poems spring from one small part of Clydeside, the town of Dumbarton, ancient fortress and tribal capital, once noisy with shipbuilding, now denoted in economic terms as an area where, perhaps, something like half the people of working age have had no work for years, sometimes for the whole of their adult lives. Here Bill Sutherland was born and brought up, and lives; Dumbarton is his home, and he can write about it with the clear-eyed intimacy, in candour and affection, only possible, maybe, on home ground. He knows the reality behind the "economic terms", and his knowledge enters his poetry with indignation and compassion. The strength, courage, and gaiety that "honest poverty" can show in men and women he values and understands, but he has no illusions about poverty itself, or the lies, official and unofficial, that are told about it.

These are not political poems, though there is robust, occasionally ribald political comment to be found in them. Their substance is what the title suggests, the manifold influences which have gone to make a Clydeside youth: a political meeting may be one of them, but a boy's sharp vision of the natural world (a Spring day's ecstatic plunking in the Dumbarton hills) means as much; the child who has "aye watched the weiys o folk" learns and absorbs something from all around him, an old man, a gossiping neighbour, a young woman in bloom, an infant at the mother's breast.

The scope is wider than a single view. It extends, with imaginative empathy, into other minds, and it moves backward and forward over more than one generation. The Clydeside Lad is in the making in his father's and his grandfather's time, when the yards were working and the town's life revolved about them: some of the most vivid and powerful images here are of now vanished experience — the rhythms of the day and the week ruled by the yard-gates; the domination of a whole landscape by the monstrous presence of a ship in the building; and also the extraordinary shared emotion of a launch and the feelings which, through and beyond the exercise of their trades and skills, could see in joiners and riveters and hander-uppers "ma potes in wid, ma iron dreamers".

The Clyde itself, loaded like other rivers with history and memory, is identified with those who live, struggle, and endure along its banks; personified, it is given mysterious prophetic utterance:

". . . Did you hear the river,
this tide that runs in us as deep,
shake off the moment with a shiver
and turn, a giant in its sleep . . ."

At the heart of every true poem, perhaps, is the sense that poetry, in which words are used with their utmost subtlety and force, isn't essentially a matter of words at all. The maker who shapes his thoughts in **A Clydeside Lad** does so, with equal pride and tenderness, in "the Clydeside speech that is ma ain", but also knows that speaking in words and naming of things is both needful and unsatisfactory. The boy, escaped from school, plunges into silent reflection to forget the tyrannies of syntax and classification, "an waash away the stoor o names".

Names and local habitation are thus acknowledged and unlocked. These poems may seem to have little in common with the "Georgian" model — nowadays, perhaps, only slightly regarded — whose title Bill Sutherland has borrowed and adapted. But at its best A. E. Housman's famous collection, through his don's-eye-view of Shropshire, regarded other landscapes. In **A Clydeside Lad** we're offered, with the authenticity, directness, and freshness that go with recognisable names and places and times, something of what the imagination can reach to outwith their boundaries. There can be no truly popular poetry without both.

Christopher Small

A CLYDESIDE LAD

(i)

An evening slow as drifting wood
  comes on the sands of this old river
and whites of gulls dig down for food
  where Langbank's lights, reflected, shimmer.

Between this twilight and the dark,
  between the ebbing and the turn,
in this sole moment, strange and stark,
  rise childhoods that like ghosts return . . .

Thae high days on a young Da's shooder,
  fur wance his claes bleacht clean o stains,
Ah achet is great ships broke furst waater
  tae huge applause fae men, fae chains.

Fur Ah believed this wis the Ocean
  an wae ma Maw cid look an see
the windaes o wee hooses flash on
  the faur side o Eternity.

An drookit Fridays Ah wid wait
  on tanners bright is thae launched steamers,
an watch stride oot the shipyerd gate
  ma potes in wid, ma iron dreamers . . .

(ii)

Upon the morn
thit Ah wis born
since Ah wis dumb
they skelpt ma bum.
So noo Ah howl
an greet an yowl
an they're aw sick
Ah learnt the trick.

Then in a while
Ah learnt tae smile
an women came
fae every hame
fur miles aroon
Dumbartin Toon
in crowds o a hunner
tae see this wunner.

So wance ye learn
a smile or girn
gets aw yer waants,
a change o pants,
a feed, a coddle —
ach, life's a dawdle.

(iii)

Oh, don't you girn, ma wee pet lamb,
jist suckle goodniss fae yer Mam;
lap up ma sweetniss, toty bein,
fur, aw, yer Mammy loves the gie-in.

Agen yer will ye hiv been hurled
intae a big an broken wurld;
naw, don't you greet bit, wee-bit man,
yer Mammy's here noo it's aw wan.

(iv)

"It is the Will of God",
Ah heard oor big priest say.
Ma fethir tried tae nod;
Maw turnt her heid away.

An then fur weeks ther came
Maw's women frens an kin
tae aw oor hoose became
a den o whisperin.

An Da wid staun an look
ootside like in a rage
or sit an read his book
bit never turn a page.

Fur, like a hurt thing's bleatin,
each cauld an early morn
Ah heard ma mither greetin,
pinin fur her still-born.

(v)

Noo mind yer step, ma tiny lad,
or Maw 'ill skelp ye if ye're bad.

Then if ye don't take on yer Maw
yer Da 'ill skite yer lug an aw.

Then if ye don't heed whit ye're telt
it school, yer teacher his a belt.

Then if ye don't work sore an hard
ye'll get yer books fae oot the yard.

Then if ye brek the Law, sure they'll
come roon an fling ye in the jail.

Bit if ye don't get caught, lad, well . . .
when ye're deid ye'll roast in Hell.

(vi)

The clackity boots hit the cobbildy stanes
an thir faces wir mawkit wae greeze;
wae thir laughin an jokin an wavin tae wains
they wir giants in blue daungerees.

An staunin ootside wae her aperon on
wis the wee nebby frame o ma mither
an she nodded tae Joe an she nodded tae John
bit her eyes keepin skint fur anither.

Fur last night wis poor an we hid tae make dae
wae breid an a bit o a bridie
bit we'll aw hiv fish an some totties the day
fur Da's comin hame an it's Friday.

So Maw's staunin ther, is we play bae the drains,
an we're waitin an waitin fur ages,
bit the clackity boots on the cobbildy stanes
tell us Da's comin hame wae the wages.

A thruppenny bit wis the usual Ah got
bit wan time when Ah got a tanner
Ah ran roon tae Woolies' an ther whit Ah bought
wis some toty wee bolts an a SPANNER!

Fur the fitters, the jiners, the men fae the cranes,
the labourirs, sparks, engineers,
an thir clackity boots on the cobbildy stanes
wance rang like a song in ma ears.

(vii)

Ma granda tae ma fethir taught
thit men's respeck is dearly bought
an gie-en tae yer worth's degree,
an that's the law they taught tae me.

Ma mither fae her mither learnt
joy's no a wage thit cin be earnt
an love, like breath, is gied fur free,
an that's the love thit lifens me.

(viii)

It's readin, writin, thinkin,
   aw day it school,
an aw day ma hert's sinkin
   fur here wurds rule.

Bit oot here on this hill
   Ah watch the burds
an hear the silence kill
   the rule o words.

(ix)

Noo on the hills behin ma hoose
a burst o life his broken loose
an rowan, cherry, gorse an aw
ir bubblin colour wae the thaw.

Auld wives furget thir aches an pains,
an roads ir loud wae playin wains,
an loddies staun an lassies blether,
each kiddin they don't see the ither.

An tinkers' certs come roon again,
an benches sprout auld, humphy men,
an fae the hills above the toon
the smells o Spring ir driftin doon.

An rowan, cherry, gorse an aw,
obeejint tae the Makir's law,
act oot thir resurrection mime
tae mind the world o Eastertime.

(x)

Darkir yit on midnight's darkniss,
like the shaddy o a monster,
stauns the night shape o the shipyerd,
beast o steel an stane an timber.

Droonin stars wae floods o fire,
broodin noo, noo breathin thunder,
earth's a-shudder wae its power,
power tae meld an power tae sunder.

Iron-bodied, iley-blidded,
black Leviathin in labour,
waarm within its womb o girders
sleeps the beauty o a liner.

Fed fat wae the sweat o workers,
fodder fur its belly's abyss,
dragon o ma chilthood windae,
whit god's, whit divvil's beast is this?

(xi)

The teacher teaches us in class
the names o clouds, the kinds o weather,
the diffrint trees, the types o grass,
tae name a burd fae wan wee feather.

Bit noo the gloamin breezes blow,
an pools ir rid wae heaven's flames,
Ah dook aneath thir fiery glow
an waash away the stoor o names.

(xii)

Only a race
fawen fae grace
cid thole a thing
like mince in a tin.

(xiii)

The school wis jail tae four o'clock
  when let oot o oor classes
me an the ither lads wid walk
  an shout abuse it lassies.

"Hey, hen", we'd shout, "Gaun, show's yer knickers!"
  an some wid hiv a fit,
an some wid hid thir wee, fly snickers
  bit lift thir skirts a bit.

Bit when we yellt it Kate McGraw
  she'd turn withoot a cerr
an lift skirt, petticoat an aw,
  an fling them in the er.

The ither lads aye thought her daft
  (an lackin modesty!)
so when she'd gone her weiy they laughed
  bit me, naw, never me.

Fur Ah've aye watched the weiys o folk
  an Ah knew Katie well,
the last tae cut ye wae a joke,
  the furst ther if ye'd fell;

the wan thit widnae run away
  fae bigger lassies' blows,
the wan thit ran across fae play
  tae wipe a wee yin's nose.

Fur some dae good fur guiltliss sleep,
  some fur the wurld tae view it,
bit in Kate goodniss ran sae deep
  this she, hersel, ne'er knew it.

So wae her lack o modesty,
  wae aw her impudince,
Kate hid a ferrer honesty,
  an rerrer innacince.

(xiv)

JESSIE'S SONG

"Hey, did ye hear aboot Madge Broon? —
Ye know her fine! She stayt aroon
the road fae your Joe's sister's fren,
yon wan thit hid the fancy-men . . .
a big birth-mark aroon her ear,
ye know her fine! Her Maw stayt near,
in fact, next-door tae Jean McFadgin . . .
Och naw, och naw, Ah don't imagine
thit you'd know Jean; she moved away
when you an Joe came here tae stay . . .
Bit Madge's man, though, bad, bad back!
Rackt wae it! Aye, he got the sack
fae foreman plumber wae the Toon . . .
His name? Ah telt ye, Broon, sure BROON . . .
Ach, noo ye're thinkin o her sister.
Naw, Madge hid this big mark, this blister . . .
She uset tae werr her herr . . . like that . . .
Sure, wance she lent your man a hat,
yon time he fell an skint his heid . . .
Ye know her noo? —
Aye well, she's deid".

(xv)

Big Miss McLeish taught wan an aw
the glory o Catholicism,
its truth, its wisdim an its law
wis ther inside oor Catechism.

Bit, oh, the faithliss Prodissint
hid slunged the Church intae a schism
fur bae his sin he hid been blint
agen the Holy Catechism.

An that man, Luther, whit an eejit —
Jeezo, the shirrakin she gies him! —
because the stupit bampot preechit
agen the Blessit Catechism.

Fur Miss McLeish cin staun an prove
thit it's an ootright caticlysm,
a crime thit cries tae God above
when you don't love the Catechism.

God's pride, she says, is infinite
an so the hurt an wrang it dis 'Im
mist be a sin is infinite,
if you don't love His Catechism.

Bit it's no love o sacrit laws
or oot o saintly heroism
or tae defend the Cathlic cause,
Ah gander through this Catechism.

Tae tell the truth, its mair because
yon Miss McLeish's a big, strang bizzom
an wan right Tartar wae the tawse
thit Ah learn her bastrint Catechism.

(xvi)

A keelie rises through the morn —
  sich joy nae man cin know —
an glowers doon wae a bonnie scorn
  on aw this world below.

An in these floory hills o June
  Ah sit back on ma hunkers
an ster doon it the Clyde an Toon,
  the happi-ist o plunkers.

Fur Ah don't gie wan monkey's kiss
  fur books, or French, or Latin;
the school's a cell, compert wae this,
  ye couldnae swing a cat in.

An "ENGLISH: IN FIVE GRADED STAGES",
  man, whit a bliddy farce!
Ah widnae use thae glaekit pages
  tae clean a tinker's arse.

An "Son, write that!" an "Son, learn this!"
  an "Son, dae whit yer telt!"
an if ye juke oot fur a piss
  ye tempt the big-man's belt.

Bit here the earth grauws green an kind
  an takes cer o its ain
an disnae fankle up yer mind
  or footer wae yer brain.

Its grass here makes a cot sae neat
  thit Ah jist hiv tae lie,
an the sky's sae clear an er's sae sweet
  Ah hiv tae heave a sigh.

So breathe it in, lad, fur gey soon
  ye'll peiy fur this grand mornin;
the Schoolboard Man will come aroon
  an gie ma Maw a warnin.

She'll shout an bawl, "Ye'll be ma ruin!"
  an wring her hauns in sorraw
an, like, ma Da'll gie me a doin —
  bit wheesht, lad, that's the morraw.

Fur see yon keelie weiy up ther
  thit's risen up tae sit
sae strang, sae free up in the er —
  the day Ah'm ther wae it.

keelie - a kestrel

(xvii)

The speuchies noo ir hame an bedded
an grass wae glinty dew is budded
an through the glimmer o the gloamin
Ah see the furst wee stars come gleamin.

Ah watch the reek fae hill-fires rise
fae mirky earth through sunset's rose
is if the weary world wis heavin
wee sighs up tae the hert o heaven.

An here Ah sit a lang-time rover
aside the banks o this auld river,
the loch-born, burn-clad, Clyde-bount Leven
thit gies ma growed-up kin thir livin.

An is the mirk sinks tae a simmer
it seems the last light o the summer
an Ah cin feel the years aw flyin
is fleet in this fast river's flowin.

An aw ma chilthood days an rovin,
aw thir dreamin, learnin, screevin,
aw thir laughter, aw thir lovin —
jist stoor o stars upon the Leven.

(xviii)

A BLISSIN

God's love be roon, above, below ye
an Sherrif Storrie never know ye;
lit Canon Kelly's words aye guide ye
an if they don't, lad — woe betide ye!

(xix)

Ther's moss an dock an grass in dibbits,
  the odd strang daisy tae,
graun oot this grimy shipyerd waw
  thit locks me in the day.

Ma Da an uncles spoke fur me;
  they said nae lad wis finer;
sae here Ah staun on ma furst day,
  a new apprentice jiner.

The roar o rivets, screech of cranes,
  the groan an grind o gear
hiv numbed ma lugs an numbed ma brain
  bit cannae numb ma fear.

An up ower ther ten thousan men
  made smaw agen the hull,
swarm like dark bees aboot a hive
  or ants upon thir hill.

Ma fear tells me thit in this place
  a soul cid lose itsel —
oh God, if only Ah cid wake
  an find Ah'd dreamt o Hell.

Fur nowt thit's weak or frail, Ah know,
  cin flourish in this place,
an wurdliss ma hert begs release —
  or else fur iron grace.

Bit yit high up yon mucky waw
  Ah see a floor is bloomin,
a sign tae say thit folk cin thole
  this Hell an still stay human.

Ootside this store noo gruff big men
  grin ower an dunt thir mate
is Ah staun here where Ah've been sent
  tae get "a guid, lang weight".

(xx)

Gaun, cleek yer new lodd, show him aff,
make gled eyes it his gallus chaff,
fur Ah've clockt he's a sleekit nyaff —
bit don't come runnin back tae me.

An though you think he's big an braw,
him in his Burton suit an aw,
Ah've heard he disnae gie hee-haw —
bit don't come runnin back tae me.

Wae no wan Brylcreemt her agley,
an Tally shoes, an tie-clip tae,
he's jist wan big windae-display —
bit don't come runnin back tae me.

An though yer mither telt ye no tae
ye glued yer waw wae his daft photie;
noo aw the lassies caw ye doty —
bit don't come runnin back tae me.

An if some night ye're thrown a dizzy
an he tells you he's awfy busy
an you're sat hame ther wonderin "Is he?" —
then jist *walk* roon an talk tae me.

(xxi)

The Cooncil layed its pipes wan night
  through oor auld cemetry —
in darkniss since they thought it right
  nae *livin* soul shid see.

Sae noo the waater runs an spills
  through Granda's restin-place,
sweet waater fae yon very hills
  where he spent his young days.

Up ther, a young ferm-labourir
  he'd drink fae a wee lochside
an look doon through the Autumn smir
  it storms breenge up the Clyde.

Then in pitch-dark he'd dress an rise
  an trek oot through the snows
tae fodder coos or brek the ice
  when drinkin-troughs hid froze.

Fur him the gleddist sound o aw
  then came wae early Spring;
the iron hills wid slowly thaw
  an gushin burns wid sing.

Then summer gloamins wae a lass
  he'd coorie her in close
an bae a pool, sat on the grass,
  they'd dibble in thir toes . . .

Bit Granda sees this world nae mair
  noo his auld body's deid
bit Ah think, is he's lyin ther,
  it still runs through his heid.

(xxii)

A mucky, dirty, claaty wain
is every mither's daily bane
bit she fur aw her skelps cin see
thit this is how aw wains mist be.

An wifies dark wae dirt an stoor
fae cleanin ir a sight fur sure
bit whit quair folk wid think amiss
sich hamely, selfliss dirt is this.

An men in manky dungarees
an mockit wae thick engine-greeze
fur aw thir dirt cin bring tae mind
a pride an honour o a kind.

Bit, man, oor boss is passin clean;
nae smirch o dirt or stoor is seen
on his aye pink, uncalloust skin —
an that's the purity o sin.

(xxiii)

Aw Spring, ye weave a bonnie loom
upon ma mornin windae-pane,
the velvit green o hills in bloom,
the patchwork gold o fields o grain.

Aye Spring, ye ir a lovely lass
an fain Ah'd walk up through the ferns
tae lie agen yer goon o grass
an hear yer laughter in the burns.

An Spring tae, is Ah staun an dream,
Ah see thae hill-burns noo ir hoachin
wae trout thit turn tae mooth the stream
an sit ther sweet an ripe fur poachin.

Bit, ach, it's wan mair workin day
an ower soon Ah'll hiv tae stert
ma sweat doon by the launchin-bay
wae this sore longin in ma hert.

Aw Spring, ye hiv a wicked beauty;
ye weave nae loom, ye weave a spell
tae cherm away fae work, fae duty,
a fine apprentice like masel.

Gaun Spring, ye fly, adulterous whoore,
let aw yer dark seductions cease
fur Ah'm wan lad ye wilnae lure!
Ah'm aff tae work.
Bit where's ma peece?

(xxiv)

The Hall wis stowed an reeked o fags
  an, Goad, its chers cid clatter
an Ah hid hoofed here oer six mile
  tae hear some auld man's patter.

Ma breeks felt froze aboot ma arse,
  ma throat fair missed a dram,
an him they telt me wis a lion
  jist sat ther like a lamb.

He stood up slow; his voice wis saft,
  bit near agen ma will
it bade me listen, listen . . . Then
  the words began tae spill.

He spat oot oaths on poverty,
  no like an auld romancer,
bit like he knew its hurt, its shame
  cid twist folk like a cancer.

His speech wis broad is Glesga Green
  bit, oh, wis faur fae glaekit;
it hid sich strength an eloquence
  Ah felt thit Christ hid spake it.

He curst the chains o ignorince
  in whit oor bosses thrust us;
he spoke o human dignity,
  o britherhood, o justice.

He talkt o love bit no like priests
  whose lives ir lived apert
bit like a workin man whose love
  hid passion — guts an hert.

His speech wis, aye, like music tae
  fur whit ma soul'd been thursty,
a tune Ah'd known ma whole life lang
  thit he noo gied the wurds tae.

Ah felt nae frost is Ah walked hame;
  Ah looked doon on ma Toon,
its cobblet streets, its reeky lums,
  like stars o Spring look doon.

An in the night his voice, his words
  burnt through the soul o me —
baptised, Ah wis, in power an fire,
  the fire o poetry.

(xxv)

Her mooth wis fuul o chuckie-stanes —
"God bless this ship and all who sail . . ." —
an we wir laughin wild is wains
it muck on oor yerd-owner's tail
fae where he'd slipt on ile an fell,
the day we launched the San Miguel.

The botil smashed. Ther came a hush
sae lang an wide it felt like noise,
tae wee Joe yellt, "It waants a puush!"
then, like it waited fur his voice,
the Giant edged oot fur the swell,
the day we launched the San Miguel.

A roar rose up sae strang an fierce,
loud fit tae crack the cranes above,
an many throats choked many tears
bit nane cid hide the powerfa love
thit burnt in aw, is in masel,
the day we launched the San Miguel.

Pride ran sae deep it near wis pain
an me, ma fethir bae ma side,
watched whit oor hauns hid built, oor ain,
the ocean noo take fur its bride,
an take fae us pert o oorsel,
the day we launched the San Miguel.

Ther's men drag coal up oot the mine,
ther's men drag rhymes up oot thir soul,
ther's men build buildins, taw an fine,
bit in this big, crule, sweaty hole
we built a beauty oot a Hell,
the day we launched the San Miguel.

(xxvi)

When Doctir Clark telt Dan the news
thit he wid hiv tae quit the booze
or else he'd mollicate his plumbin,
Dan gret like some poor widdaw-wummin.

Then sadly tae the Kirk Dan went
(fur he'd been born a Prodissent)
an swore he'd noo lay aff the botil
an took an oath tae say tea-totil.

Then Dan looked through the Holy Book
fur curses on aw them thit took
strang drink, an wae sich words he'd damn
his frens whit liked thir Friday dram.

Dan then got shot o Hugmanay
an pit the boot on Christmas tae
an made dampt-sure aboot his hame
his family hid tae dae the same.

Bit wan day Dan near hid a herry
tae hear his wife hid slugged some sherry
upon the fly, an sich his pain
Dan never talkt tae her again.

Noo they say it's three score years an ten
the Heavenly Gaffer peiys his men
bit if thae words ir gen then Dan
wis dockt o ower twinty-wan.

Fur tryin tae convert his brither
Dan got worked up in sich a lather
thit when his brither argued back
poor Danny hid a heart-attack.

So oor shop-stewirt askt tae make
a wee speech fur late Daniel's sake
jist said "Ther never wis a man
sae tea-totalitarian".

(xxvii)

Ma dizzy lass is sae contrerry
she wilnae pick wan sprig o cherry
fur, feart tae see the blossoms die,
she hauds them only wae her eye.

Her dizzy hert tae is sae gentle
she wilnae let her ribbons faw till
oor love is ringed bae promises
an wrapt in words is auld is kisses.

Her gentleniss noo seems ma sorraw
bit come the summer light the morraw
Ah'll watch her laughin is she cycles
aneath a shoor o cherry-petils.

(xxviii)

Whit bitter feeling gnaw an freeze us
is in these wids noo on ma tod
Ah groan like pain-wrackt, faithliss Jesus
up tae a faur an frozen God.

Fur jist this day we buried Ann,
struck doon an taken bae T.B.
an the priest said his "Remember, man . . ."
oer a deid wain o only three.

Bit whit's T.B.? It's jist a name
fur waws thit breathe oot damp an hum
wae mould an turn a wid-be hame
intae a dank an stinkin slum.

It's jist the name fur poverty
thit breks the will o decent mithers
an makes sae flyly, gradjilly,
auld drunkirds oot o wid-be fethirs.

T.B.'s the word thit doctors gie
tae factirs fur tae hide behin,
tae aw the world so no tae see
the breadth an depth o their ain sin.

Bit Ann lass, you wir aye sae thin,
yer lips sae pale, yer skin sae drawn,
it seemt aroon ye fae within
a powerfa, deathly beauty shone.

God curse ye, death, then thit ye sher
wae love an health the power tae gie
oor human face a comely er
an light it up, like tenderly!

An God tae, aye God, whit o You
tae act is if yer hauns ir tied
an staun back watchin is anew
an innacint is crucified . . .

Bit look here noo, afore ma feet
wan tiny snowdrap grows apert
an shines sae lonely an sae sweet
Ah fear it tae will brek ma hert.

Aw Man, God says, ye ir bit grass
thit lives an dies inside an hoor;
bit Ann, Ah say, wee breathliss lass
ye ir this toty snowdrap-floor,

thit lives oot in the winds an snows
an smiles up it the Winter's sting
an dies afore it ever knows
the waarmin sun an smir o Spring.

Bit, lass, ye've sown two seed fur sure,
two seed tae grauw an bide in me —
the sadniss o the snowdrap-floor,
an the blasphemy o poverty.

(xxix)

The voice upon oor radio
seems proper, aye, bit cauld is snow,
sae proper thit it seems it's haughty —
an like tae spank ye if ye're naughty.

A teuchter lass Ah know, her tongue
shid no be spoke, it shid be sung,
tae lilt o where the white bird hides,
an sunset seas, an mountainsides.

A boss's voice growls like a gundie,
is harsh is hail, bit come a Sunday
while his men work he takes his ease
tae mooth his fine hypocrisies.

The Clydeside speech thit is ma ain
wis born o poverty an pain
bit Ah hear in it, deeper, strang-er,
the groans o love, an fiery anger.

(xxx)

Come tae the high fields, love, wae me
faur fae this stoory, summer toon
an ther like eagles lookin doon
Ah'll teach ye aw ma hert cin see.

Fae crags Ah'll show ye, lass, the green
o five, bright, bonnie Scottish shires,
fae Glesga's reeky, shimmrin spires
doon tae Loch Lomon's blinnin sheen.

Ah see great ships oot on the Clyde
thit ply fae here tae Timbuctoo
an shipyerds glintin in the blue,
Ah see sich beauty an sich pride.

Ah see tae lassies bright is May
an women kinely is the earth
an men whose jokin hides thir worth
an lads is honest is the day.

Bit lass, aw lass, ma heid well knows
the truth ma hert fur love denies —
this lan', ma floor o paradise,
is bit a poor an canckert rose.

Fur, lass, Ah look an plain Ah see
men fat upon thir brither's sweat,
the slums, the warrant-sales, the debt,
oor drunkiniss, oor bigotry.

Sae if up ther ma hert shid sink
fae seein ma lan' too truthfully,
fae thinkin o it honestly,
then haud me, lass — don't let me think.

(xxxi)

The prophet, priest an poet ir
markt oot fae men bae God's ain finger
bit Ah know tae it cin occur
God marks a man tae be a singer.

Fur Pat wid sing withoot conceit,
his eyes shut tight like in a trance,
an make ye smile or make ye greet,
or make ye dae the baith it wance.

He sang o love, baith false an true,
o aw the troubles folk mist cert,
he sang o life is if he knew
the secrits o the secrit hert.

An aw thit heard took on wan hert
an turnt intae a family,
an, though he's gone noo, fur ma pert
Ah cling on tae this memory;

how when wan cancerous lung hid been
removed, unheedfa o his pain,
Pat shut his eyes an sang "Kathleen",
how he wid "take her home again".

(xxxii)

Whit love wid gie if love wis rich,
  ma lass, Ah cannae tell
fur Ah've nae lands or gold or sich;
  Ah barely own masel.

Whit love wid dae if love hid power
  tae me's a mystery,
fur ther's nae folk Ah lord it ower —
  'though some stake claims on me.

Whit love wid know if love wis clever,
  ma lass, is faur above me;
Ah only know the world's a-quiver
  wae light tae know ye love me.

Ah heard tell gods wance came on earth
  in rags, withoot a name,
an few ther wis cid see thir worth —
  ma lass, oor love's the same.

(xxxiii)

A Christian Scientist callt Ted
   asked eftir Uncle Mick
an, telt thit Mick wis sick, Ted said,
   "No, Mick just *thinks* he's sick!"

The next time Ah ran intae Ted
   Ah shook a sorry heid
is wae a heavy hert Ah said,
   "Ach, noo Mick thinks he's deid".

(xxxiv)

Mick wis a boozer, Mick wis a drinker;
he'd swig wae a judge or he'd slug wae a tinker.
He'd knock back his hauf-pints an haufs in a wanner
an yell up the bar like a lord o the manor.

Mick wis a boastir, Mick wis a bum;
he blew mair hot er thin a furnace's lum.
He bragged he drank "Murphy's" spitoon fur a joke
an then daunered hame withoot even a boke.

Mick played it cerds wae a pack up each sleeve
an the fly-men he'd pochled ye widnae believe,
fur he wheeched in thae aces, bit diddled sae well
thit maist guys jist laughed sayin, ach, whit the Hell!

Mick wis a scandal, tae gossips a gift,
wae the wrangs thit he'd done an the drink he cid shift;
they said, "Look it 'im, aye, an his cousin a priest!"
In matters o sin, Mick was an artiste.

The tales tae Mick telt wir the utterest drivel —
he swore thit he'd wance selt his soul tae the divvil,
bit he challenged Auld Nick tae a contest it pishin,
an so pee-ed himsel oot o eternal perdition.

Aye, Mick wis a boozer, an fuul o the patter,
a pochler, a bampot — bit whit did it matter
fur unner his grawn-up disguise men cid see
thit Mick wis the boiy thit they aw uset tae be.

(xxxv)

In grief a man mist be alane
an sher the burnin tears wae nane
an learn through strength an self-control
thit he is jist wan single soul.

Bit women's griefs an women's tears
ir pourt in ither women's ears
an so they learn fae grief an pain
nae soul lives fur itsel alane.

So who cin see wae Heaven's sight
an say whit grievin grieves aright?
Fur aw Ah see is men grieve langer
an grievin makes thir women strang-er.

(xxxvi)

This is the glen, the burn, the bank
where wance Ah came an loupt an lay,
an tae this place when Ah'm graun auld
Ah'll bring wains o ma ain wan day.

Then, oh, whit tales Ah'll hiv tae tell,
o how this burn wis wance a river,
o big, broad summers, braw an blue.
An did it rain? Och, naw man, never!

The baggies then wir big is trout,
an troubles — ach, did Ah hiv any? —
Fur kin wir aw wise, good an kind
an pleasure cost bit four a penny.

How tall the gorse an dugrose grew
aboot this wee-bit, sheltert dell,
how saft thae grassy breezes blew
an, oh, thir sweet, remembert smell!

How here wae Tam an Boab, ma frens,
we schemet oor deeds o derrin-do
an swore tae keep oor secrits safe . . .
bit, God, where ir thae secrits noo?

Then tae ma wains Ah'll sigh an say,
"Time is at wance baith kind an crule".
An they'll look up it their poor Da,
an think, "Ye door, auld, doty fool!"

(xxxvii)

Oor parish-priest near hid a fit,
  an callt ma sister mad,
an said the Church wid no permit
  her wed her Proddie lad.

So here they staun in this wee kirk
  a braw yit tearfa sight,
him wae his bonnie kilt an dirk,
  her in a goon o white.

An though agen ma Church's Law
  Ah'm in this kirk is well,
an sing its Proddie hymns an aw —
  the Church cin gan tae Hell!

Fur Law is Law bit kin is kin,
  an Ah'll no cut a sister,
an though Ah lee this kirk in sin
  Ah'll no lee tae Ah've kissed her.

An though this kirk seems berr an bald,
  an though Oor Lady's missin,
an though this cleric's quair an cauld,
  his blessin's still a *blessin.*

Bit oor Church trains the priestly mind
  wae charity thit's mental,
yit whit cin guide oor common kind
  bit lovin when it's gentle.

Bit priests thit take the Law is wife
  an feel the safer fur it
mist hate the jinky joy o Life,
  an, aye, fear mair its spirit.

Fur Law's a fence bit Life is fire,
  fierce is the sun it noon,
an in the noon o Life's desire
  Law's fences mist burn doon . . .

So he's a heretic, an she
a turncoat tae the Faith,
so says oor parish-priest bit me,
Ah say, God help them baith.

(xxxviii)

Aroon the crib folk staun an pray
upon this cauld, dreich Christmas morn,
fur tae them its bright statues say,
"Tae us, tae us, a child is born" —
the same words their auld priest expressed
is, Puer nobis natus est.

Fur here the livin Light o grace,
the heaven's an the earth's Designer,
the Hope o aw oor human race
is fostert on a common jiner
an sucks a peasant lassie's breast.
   Puer nobis natus est.

Intae a world rulet bae Augustus,
a world where Roman reignt oer Jew,
where power cid preen itsel is justice —
a world nae diffrint fae the noo —
He came a wee, unhonourt guest.
   Puer nobis natus est.

An noo God is perticulir,
an spits oot generality,
an picks oot this poor cerpintir,
this hummel maid, tae let men see
in who Love comes tae build His nest.
   Puer nobis natus est.

So fur yon wife wae cripplet hauns,
fur these wee wains wae shabby claes,
fur thon big Mongol-lad thit stauns
an talks oer-loudly is he prays,
fur yon face worry gies nae rest,
   Puer nobis natus est.

No fur the strang bit fur the weak,
no fur the greater bit the lesser,
no fur the mighty bit the meek,
no fur the rich nor the oppressor,
bit fur the poor, fur aw oppresst,
   Puer nobis natus est.

(xxxix)

"Whit will ye say, lass, when Ah'm done,
ma strength an looks an herr aw gone,
   an you hiv spent yer life
   gaun in an oot the pawn,
   a poor yerd-worker's wife,
   an him sae proud an thrawn,
a lad thit when he'd wooed an got ye
'twis smaw joy an mich pain he brought ye?"

"Ma lad, Ah'll say when you ir done,
Ah loved ye no fur looks or brawn,
   nor fur the wage ye'd bring.
   Ah loved yer gentle hert,
   an o yer weddin-ring
   nae pawn's e'er hid a pert,
an when Ah weigh the joy an pain
Ah'd take ye, lad, ten times again".

"Whit will ye say, lad, when *Ah'm* done,
ma youth an wee-bit beauty gone,
   an them thit we gied birth
   an reart is best we knew
   ir scettirt roon the earth,
   an left jist me an you
tae sit a lonely perr again
bit me noo wrinklet, auld an plain?"

"Ma lass, Ah'll say, yer powerfa beauty
wis worn away bae love an duty,
   bae worries an distress,
   untae it did reveal
   a deeper loveliness
   an beauty yit mair real,
an then Ah'll haud ye nigh tae me
an say, ma lass, come lie wae me".

(xl)

Big Josie still depen's on booze
tae talk o whit it meant tae lose
the darlin o the family
in 'forty-five, in Germany.

The seventh son, the youngist wan,
the dotet-on an spoilt wan,
a last gift tae an agein mither,
the pride o Joe, his auldest brither.

This bonnie wain, this hansome man
wis wan o them bit mair thin wan;
he wis the livin, laughin sign
o kineniss in the wurld's design.

A week tae go tae V.E. day,
while sittin drinkin tea, they say,
a sniper's bullit through the heid
shot this gift, this kineniss, deid.

"An whit's a week? Christ, seven days!
A week, a week, a week . . ." The phrase
insults Big Josie enlessly
wae its cauld, crule absurdity.

Sae Josie works gey hard each day
bit come some Fridays whit he'll dae
when thon auld grief torments his soul, is
git drunk, an mebbe punch a polis.

An passin years hiv failt tae wither
Big Josie's feelin fur his brither,
or let his mind oot o the maze
o how a week is seven days.

(xli)

Ma mither wis Irish, ma fethir a Scot.
Ma mither hid babies; ma fethir did not.
An the furst o thon babies Maw hid wis masel
an, though no his business, Da liked me sae well
thit Maw says that day he went intae a bar
an sang aw the verses o Dark Lochnagar.

Ma mither wis Cathlic; ma feither — God knows! —
Bit his family wis cut 'cause he wed "wan o those".
An though tae get merrit he took up the Faith
he eftirwurd said Maw'd enough fur them baith,
an telt me wance, "Son, Ah don't cer whit ye are —
is long is ye learn tae sing Dark Lochnagar".

So Maw hid her statues o saints roon the hoose
bit Da hid a pitcher o Robert the Bruce
thit hung oer the fire where it took pride o place
an Maw dustit roon it, a scowl on her face.
An often ye'd hear through a door left ajar
Da under the Bruce hummin Dark Lochnagar.

The hoose wis Maw's callin, the shipyerd Da's lot;
two sons an four daughters the portion they got.
An is we grew up, Jeez, how herty we laughed
when Maw took a mood an wis slaggin Da daft
saying, "Gie us a turn fae yer huge repertoire!"
(It only amountit tae Dark Lochnagar).

Bit wae aw his daftniss the wan thing Da taught
wis Cathlic or no we wir each wan a Scot.
An when Da passed away Ah think even ma mither
then thought hersel sich fur masel an ma brither
wid watch is her eyes each lit up like a star
when we sang o the beauty of Dark Lochnagar.

(xlii)

In the beginnin o God's plan
God breathed life in the soul o man;
when lonely man began tae grieve
God puffed again an breathed forth Eve.

Bit then the Highest hid a hiccup
an brought a toty bit o sick up,
an thus — so runs the ancient story —
did God make oor furst Scottish Tory.

Then God let wind aff oot His Rear
an says tae Peter staunin near,
"Ah hiv jist fartit oot ma Whole
wan awfy smelly human soul!"

"Ther is wan job", St. Peter grinned,
"fur this pathetic bit o wind,
fur *aw* Yer Arse's future flurries —
we'll make them Scottish Secretaries!"

Sae noo in Edinburgh Toon,
if folk ther stert tae cough an swoon,
the reason how they swoon an cough is
the ming fae oot the Scottish Office.

(xliii)

"Who built the waw atween us?" ask the Bosses.
"Whit waw?" the Workers scoff an take the Mickey.
"Oor hauns ir clean", moan sleekit Profits-Losses,
"We helped tae plan it bit wir no the Brickie".
"'Twis God Himsel", lisps Cleric-Shake-the-Heid,
"Assignin men, each tae his proper state".
"Yer arse, auld man", scorns Wifie-Wains-tae-Feed,
"Whit God wid will on folk sich strife an hate?"
"Yit who", groans Britherhood, "Cid be sae sick
is tae torment ma hert wae hurt like this?"
"Since Britherhood's aye hatet bae Auld Nick
look tae his Seven Beasts", says Canny-niss.
"Ma Thing, aye", laughs the Divvil, "Done the deed".
The Beast crawls oot an slevvers, "Me? Ah'm GREED".

(xliv)

Near twinty years hiv markt ma face
since last Ah stood in this green place
an mair thin twinty hopes ir deid
since last this willaw kissed ma heid.

Where cin thae tall, bright women be
whose love wis life an waarmth tae me
an where hiv aw thae strang men gone
whose grins Ah used tae swing upon?

An tell me, blin, auld willaw-tree,
cin it still be ye mind o me
an aw the laughter o this place
is you reach doon tae feel ma face?

(xlv)

Noo summer's it its height an in a dwam
Ah lie bae Gruggie's Burn aneath an oak;
the er is still is attic er, the calm
seems calmer fur the dozy cricket-croak.

Then wan wee breezé stirs up an gently waashes
ma body like tae slake ma senses' drooth,
saft is ma lassie's breath upon ma lashes,
sweet-scentit is the kisses o her mooth.

An Ah think on oor comin weddin-day,
whit secrit gifts she's storet by in her kist,
aneath oor laughter whit deep passions play —
an think nae man mair happy or mair blist.

An thinkin sich Ah faw intae a doze,
an in that doze Ah faw intae a dream,
an in that dream a lass, a perfict rose,
it seems, steps oot a silvry-tumlin stream.

A beauty shines fae oot her shape an face
sae bright thit Ah cin barely squint an glance
fur fear ma eyes might burn tae see sich grace —
she takes ma haun an leads me oot tae dance.

An me thit cannae dance, dance like a lord
made like untae a god in her embrace,
strang is a lion yit light is a bird,
a sherrer in her beauty an her grace.

An on we dance, inside, an through the grass,
through trees an floors an rocks an through aw matter,
like sunlight through a chapel's tintit glass,
or swans move through the evenin mist on waater . . .

Ah noo Ah wake, bit wakin cannae cloy
ma bliss, fur jist the mindin noo's a treasure,
an in the mindin loss itsel seems joy
an pain mair sweet an fuul thin any pleasure.

Fur it wis Nature's very sel, Ah know,
thit led me in yon dance an in her spell
she made me wan wae aw thit aches tae grow,
wae aw thit longs tae be mair thin itsel.

Noo ma ain sel seems grand an marvellous,
ma mind an body woven in Love's mesh —
oh feel whit ancient songs ir sung in us,
whit angels' dreams ir dreamt through human flesh.

(xlvi)

Now standing on this driftwood-line,
here time itself feels in suspension;
here only memories are mine,
big, broken things it hurts to mention.

For politics that hymn a war
eight thousand shameless miles away
are well content with dirges for
this river that once served their day.

An arc-light flashing down the Clyde
recalls again my town of old;
yet just this day too Greenock's pride
was bought and sold for English gold.

But wheesht! There! Did you hear the river,
this tide that runs in us as deep,
shake off the moment with a shiver
and turn, a giant in its sleep . . .